FRAGOR

FRAGOR
Laura Carrillo Palacios

Poesia

Tradução Sandra Santos

1ª edição, 2021 / Madrid / São Paulo

LARANJA ● ORIGINAL

© 2021 Laura Carrillo Palacios
Todos os direitos desta edição reservados à Laranja Original.

www.laranjaoriginal.com.br

Edição Filipe Moreau
Design Marcelo Girard
Produção executiva Bruna Lima
Diagramação IMG3

DL: GR 1793-2021

Dados Internacionais de Catalogação na Publicação (CIP)
(Câmara Brasileira do Livro, SP, Brasil)

Carrillo Palacios, Laura
Fragor / Laura Carrillo Palacios ; tradução Sandra Santos. -- 1. ed. -- São Paulo : Laranja Original, 2021.
Título original: Fragor
ISBN 978-65-86042-33-7
1. Poesia espanhola I. Título.
21-94324　CDD-861
Índices para catálogo sistemático:
1. Poesia : Literatura espanhola 861
Cibele Maria Dias - Bibliotecária - CRB-8/9427

Laranja Original Editora e Produtora Eireli
Rua Capote Valente, 1198
05409-003 São Paulo SP
Tel. 11 3062-3040
contato@laranjaoriginal.com.br

A Ele, que o amor encarna.

– OS ALICERCES –
. O Outro Rosto Do Baile .

Laura em leito de mercúrio circunspecto
traz a imobilidade impenetrável da terra
o sacrifício que o entardecer exige do sol
a convicção plena do horizonte asfixiado

Cristal a falar de sinastrias de contracorrentes
da Mulher-Deserto com os Girassóis Da Chuva
dos tão contrários que se enxugam nas pedras
& fitam os trampolins que a espera assassinou

                       Invariavelmente,
                    Fernando Naporano

I

ANTES DA TEMPESTADE

Silêncio e solidão como cura para a alma.

Solidão acompanhada.

Silêncio entre a algazarra.

É quando a maré da vida nos faz balançar, na sua dança incerta, que as melhores coisas nos começam a acontecer. No entanto, se a dor não atingir o tutano, a roda de samsara recomeça, até que a tempestade arrase tudo.

Debaixo da terra, a calma absoluta.

Como ofertar a textura do mar
ou o fulgor incandescente das estrelas?

Como regar de alegria os corpos abatidos
pelas mesmas doenças que não me venceram?

Como gritar ao ouvido da miséria que somos a resistência
e que daqui não arredamos pé?

Não me arrependo de nada.

Decifrei os afagos do vento
que sussurravam aos álamos secos.

Contemplei as aves a prolongar o mistério
das suas asas de inverno.

Germinei sementes em forma de canções e sorrisos
que outros me deram.

A minha alma é um diálogo entre as estrelas e o meu
umbigo.

Qual foragida, passeio pela fronteira do inferno
implorando pela prisão daquela que foge.

Expulsaram-me dos campos amarelos
dos girassóis sem rosto
e do rio doce
por detrás da horta de palha.

Fizeram-me à imagem e semelhança daquelas urbes
daqueles egos de jerarcas em jaulas
e fizeram do sábado uma segunda
da segunda um pântano e da água dos olhos
alergia.

Mas eu tenho um segredo e cem amuletos coxos
dentro de uma concha que, por ser órfã,
é bondosa.

Entrei numa urna de mármore
com o olhar branco
e o ardor da chuva
no meu corpo magro.

E irei até aonde a noite, o acaso, a tempestade quiserem
até aonde as feras tremam e as sombras alumiem.

Atrás do chapapote
há uma luz que contradiz aquela viscosa treva.

Após os vivos, a morte
e o amor incompreendido, mitificado,
feito verdade.

Atrás dos meus olhos vi
o pó do vale galáctico
o eu que já não julga
a dor transcendida
o mugido da ternura.

A fragrância da vida
é frágil.
Efémera.

O perfume da morte
é um anjo sem futuro nem conforto
com tentáculos de vime
e coração de algodão.

Que maravilha viver
sem medo de o fazer!

Que lucidez compreender
que a morte cheira a versos!

E os beijos
aqueles beijos que não damos
jamais nos voltarão a avisar
que tão a tempo deles ainda estamos.

Lembro-me do cheiro a metal.
Era primavera.
O jardim é o lar da serpente,
– tinham-mo avisado –,
mas eu estava a salvo.
Da janela os Deuses eram invocados,
lançavam confetes de cardamomo
sobre as enormes cabeças coloridas.
Hoje Deus é Um só,
veneram-no cinco vezes
bem devagarinho,
quase não há barulho
mas a festa, essa, é bem maior.

Serei noite, disse.

Sob a pálida sede do vento
esqueceu a melodia das palavras
e se ateou como uma tocha na neve.
O sangue brotava à mercê da linguagem
os pequenos pássaros de Viena
perfuravam a asfixia do verão.

Serei calma, disse.

Sobre as larvas construiu castelos
enquanto a preguiça
e os outros restos da manhã
descansavam.
A bílis devorava-lhe os lábios
e a frequência dos ossos excitava até os espelhos.

Serei verdade, disse.

Cheirava a pólvora naquelas ruas de nata.
Branco, o silêncio.
Cinza, o abandono.

O fogo do Sahel sacode-nos,
a rotina é hostil
e delirante o preconceito,
mas as noites estreladas
fazem parecer fácil
voar.

Quem és tu que no choro nos enlaças?
Mãe do sol-posto,
neste fim de junho
celebramos trinta vezes
que o mundo te abençoou
com o seu abraço.

Em que sonho se afundou
o deserto d'oiro
e suas virgens cor de aquarela?

A areia tragava as palavras
ao cair da noite;
neste peito uma estrela
e no céu um milhão de corações
bombeando luz e paz.

Em que sonho morreu
o dromedário sem freio
dando lugar ao rumor ébrio
de um estômago cego?

Tenhamos coragem, disseste um dia.
Agora, uma matilha de enredos
me morde
enquanto cava a minha sepultura.

Tomara que as lembranças fossem
menos líquidas
do que a água em que bebiam
as minhas crenças de papel.

Sopro curador de Gaia,
em seu perfume dorme
a pátria das musas.

Naquele beijo compreendi
o mistério da existência.
Depois de tudo,
só eu sou.

No último hálito
da terra em minha boca,
o esquecimento se instala
o mundo se traça
a paz se acaba.

É de madrugada,
um pássaro apaixonado veio recitar para mim.
É um poema de outubro,
sei-o porque todas as noites falo
a língua das aves.

Todos morremos quando a luz se apaga
e o céu nos devolve aos espíritos.
Os versos penetram em meus lençóis
através de uma árvore centenária.
Há cascas que sibilam magia
e que ocultam larvas de cetim.
Para teu mundo vegetal, amado meu, não me posso ir,
queres-me sonâmbula,
mas minhas mãos ainda se agarram à vida.

Eu não sei nada de pássaros, tampouco de poemas,
mas é de madrugada e falo
a língua das aves.

Não é de arame a cerca
que separa a fantasia da realidade,
mas estes meus sonhos se esvaem
derramando sangue nas fendas
desta khaima.

Nada me consola.
Este abismo já existia
antes de fingirmos ser nada.

As minhas decisões,
no mistério estéril do absoluto, emudecem.
Não há Verdade
se não morrermos em parte.

Quis ser Um com o Todo,
esqueci-me que ainda sou humana,
e que às cegas ou a rasto
às minhas paixões sucumbo.

Antes do frescor da floresta
e da doçura da papoila
optei pela cerca de arame.

Um pensamento de amor
fazia sombra ao inverno
enquanto meu ego brincava.
Era Vénus para alguns
para outros a ignorada.

Para mim eu não existia,
consumida entre as brasas,
somente o ruído
restava.

II

O RUÍDO

Presas à roda do inevitável, a paz momentânea, que com tanto esforço alcançámos, dissolve-se, dando lugar a um suave rumor de chuva, que, pouco a pouco, vai aumentando, até que o entendamos como um ruído que nos acompanha com lealdade.

Quando se vive com tanta intensidade, com tanta paixão, a dor faz parte da viagem. Nessa dor tão visceral das despedidas, das traições, das incongruências, reside uma beleza fascinante, poética.

No fim de tudo, não será por acaso a beleza uma pequena morte...?

Nunca compreendi
por que é que dizem que a vida é curta.

Curto o olhar, o alcance, a coragem.
Curtos os sonhos, os passos, os dias.
Com intensidade, presença e alegria
a vida é muito comprida,

pelo menos a minha.

Talvez esta dor que sinto
derive da minha negação em ser água
limpa e cristalina
a descer pelo ventre da terra.

Talvez o entardecer que entoavas
se tenha desfeito nas entranhas
dele brotando corvos
nestes olhos que já não alcançam ver.

Talvez a lua se tenha cansado de alastrar
a sua luz pétrea e mortiça
por esta tristeza devota
à festa, à rotina.

Talvez este mergulho na inquietude
tal como numa verdade pungente
me arranque da ilusão
da Cidade de Fogo.

Vai chegar o dia em que o planeta
será todo carvão queimado
uma plantação murcha
num silêncio fundo.

Então talvez esta cidade pareça viva;
a cegueira, esperança
a *poussière*, alimento
e a terra
trague as pontas soltas
de uma raça a padecer à seca.

Vai chegar o dia em que as mães se rendam
em que os corpos sejam pequenos restos de nácar
e os sonhos velhas lendas adormecidas.

Então estas criaturas de sable
serão talvez abençoadas
por uma dessas mil luas
onde se refugiam os diabos.

É nesse teu desejo egoísta
que repousam mil corpos translúcidos,
mobília antiga
sem ossos nem sangue,
pele usada
sem qualquer esperança.

Dentro do furo de água
que ambicionas rebentar
há lendas de dragões
cesarianas por tecer
ou bailes de trigo sem ver.

As ratazanas que persegues
têm o teu nome
e, em algum azarado universo,
onde o Mundo Justo se impõe,
as almas descartadas
falam-te com aço nos lábios.

Foge de ti mesmo
antes que seja demasiado tarde!

Porque a fraqueza a que te submetes
não é outra senão a tua própria.

E na semente desta tortura
que afundas na terra húmida
estala o grito convalescente
de todas aquelas que te odeiam.

Sempre que os bosques choram com medo
não nos resta mais nada
que senão deitar e respirar uma culpa húmida
manchando de cicatriz a crosta.

Sempre que o lar das almas livres
se torna refúgio das sem-abrigo
e o sol vedado do entardecer
é a guarida dos que soltam
gritos e sonhos,
só nos resta abdicar da usura.

Sempre que cobrimos de bruma
o rasto verde das árvores,
imolando as criaturas de luz
e deixando ao deus-dará nossos semelhantes,
só nos resta aceitar a sentença.

Quem é que pode dormir depois de ver
a lágrima da terra
enxugada pelos uivos das suas próprias filhas?

Quem é que pode seguir com a sua vida
depois de atar a morte
às gargantas tíbias
em extensão de fio e penas?

Na cobiça das fendas d'oiro
são rezados terços d'argila
e testamentos de míseras fortunas.

A escuridão das almas de caruma
liberta as vítimas do medo.

Quem não entende de amor

jamais compreenderá a vida.

São do Ocidente.

Passeiam os seus valores
como se a solidariedade fosse apenas uma palavra.
Os olhos fechados às mãos
que eles mesmos algemaram.

Dizem islão
como se o demónio
os engasgasse nas costelas
e um rumor de bazooka
apunhalasse as suas tristes crenças.

Dizem muçulmano
como se uma lápide selasse os lábios
e a ladainha de Allah
ronronasse naqueles pergaminhos.

Dizem que protegem os seus
aqueles que amam
mas acabam por excluir todos os que divergem
do que consideram ser liberdade.

São do Ocidente.

Sei da chuva, embora já não a oiça,
transpondo em voo a noite.
Sei da tempestade, do que a memória aceita
trazer ao agora para não parecer tudo tão vago.

Sei da pedra, do que a minha avó me ensinou,
e das lojas e ruas que o cheiro a pão me entrega.
Sei das árvores que se mantêm vivas
enquanto estes pulmões padecem
da tempestade d'areia.

Que saudades terei daquele pó que enreda,
dos camelos e das cabras por entre carros e sapatos.
Que saudades terei da paz de um país adormecido
enquanto este coração celebra
lenta mas luminosamente.

Quantas saudades sentirei,
mas minh'alma brinca já longe
já tão tardia
no verdor de uma terra viva,
debaixo do teto boémio da casa
de uma artista.

A minha casa
era um pequeno corredor.
Tomara a fuga
tomara a morte
tomara um lar
onde não se proíba
rasgar a crosta.

Voltaremos à escuridão da aldeia;
do inferno
parece resplandecente,
cheia do que quisemos ser
mas que nunca fomos,
cheia de gente como nós
que deixámos para trás,
como se mais além da casa-sem-luz
houvesse algo que merecesse
este abandono.

Empurra-me, rejeita-me,
expulsa-me desta massa
de feições de pedra
com princípios de gelatina.

Um dia sonhei que alguém me falava água
que alguém ria terra
que alguém chorava fogo
e que, em vez de cerveja, vento sorvia.

As canções dele levavam-me
até às nuvens
e lá partilhávamos segredos
com os pássaros.

Quando acordei
a pele negra sob a lua
e o cosmos todo pérola
da melancolia.

Terão
as cores
desta amizade sincera
ficado
sob este fragor seco
sepultadas?

III

MAS ESTE FRAGOR NOS LEVARÁ

A voragem agarra-nos e a angústia de tudo o que inutilmente fizemos para alcançar o Amor obtura-nos os pulmões. O baile de máscaras acabou, mas ainda nos negamos a aceitar e a revelar a nossa verdadeira identidade.

O conflito entre quem somos e quem nos permitimos ser desfaz o fragor que cercará os nossos próximos passos. De nós depende conservar a máscara ou lançá-la ao fogo e dançar livremente na alegria da autenticidade.

Se a Sombra me perseguir,
não sei por onde me esconder.
Ela sabe sempre onde me encontrar.
Não a culpo.

Parece que ressurjo das cinzas
anunciando:
"leva-me, morde-me, arranca-me
a pele até me lembrares que eu não sou nada".

A verdade chapinha no nada
e, como uma mãe, conta histórias
sobre a unidade, a bondade e o amor.

Só quem escuta a sua frequência
pode entender a mensagem.

E só nós somos atingidas
quando ignoramos os ensinamentos
adentrando de novo
nos abismos bestiais.

Um dia, cheguei a odiar a vida.
Mais tarde, voltei a desfrutar
de cada suspiro da terra.

Se voltasse a odiar
dificilmente me perdoaria
o deslumbramento
de diluir a beleza do mundo
nos becos lamacentos
da minha loucura.

Sei que aí estás,
que és a brisa de Nubia,
o perfume da acácia,
ainda que já não te possa ver
lembro-me de seres rio
e da minha boca teres nascido
num sábado de setembro.

Os olhos que conheceste
– agora vazios –,
talismãs nas mãos
do oráculo,
perante tua alma de pedra
são uma grade de lama.

O sagrado, sagrado é.
Da névoa assomaste,
e na suavidade desta pele com espinhas
te inclinas.

Há já algum tempo que só vejo pó.
Nada que tenha a ver com as partículas tostadas
que envolvem esta pátria enleada*.

Há já algum tempo que só vejo ruído.
Não o escuto, mas vejo-o de forma densa e fumegante,
como o fragor do espírito que contra o presente
vibra.

Há já algum tempo que não vejo.
Pergunto-me se será cegueira
ou uma aborrecida revelação
dos horizontes
em que brevemente nascerei de novo.

*Mauritânia

Dizem os antipoetas
que na vida tudo é invenção
menos a dor.
Mas nos momentos mais dolorosos
em que a ira estomacal
me faz desejar
arrancar os olhos
despedaçar os ossos
liquefazer os órgãos
trespassar o umbigo
com um punhal frio,
apenas sinto um ténue engano
da verdade que se oculta
entre a imundície.

No fim de contas, na vida tudo é invenção,
exceto o Amor.

Amor,
o universo olha para nós anestesiado,
acha ele que amanhã vamos ser nuvem
ou ao menos um pedaço de vento,
dissipando este nosso corpo
em ascensão aos céus.

Estou ébria de solidão,
com as bochechas rubras de prazer,
não se revive o que nunca se viveu
nem o que se nos acrescentou nada.
Mas almejamos o fogo;
esta lâmina de gelo deseja agora perecer
no afago das tuas brasas.

Negra a cor
da esperança,
etérea música atestando
a canção do Universo.

Negra a retirada
do egoísmo dançante
por uma chuva temperada
aquietando nossos restos mortais.

A angústia contrai minhas costelas,
mal dançamos porque eu estou feita
dor,
mas sei bem que ficarás:
esperaste demasiado
até conseguir tocar um coração
que não tenha medo
de se mostrar.

Quero chorar em ti – murmuras.
Os olhos tristes, a boca enrugada,
o corpo retraído como uma sombra maculada.

Criemos então um rio! – exclamo.
Duas almas à deriva de um pântano.
Tememos morrer asfixiados,
até que uma sábia revelação
nos venha aos lábios.

"Os perdidos, os enfermos
se afogam nas mesmas águas
em que, airosos,
os místicos, simplesmente, nadam".

Em silêncio
apalpei
a tessitura das aves
o beijo das flores
o sol de março;
em silêncio
sucumbi
depreciando a beleza
sonhando com outras terras
que afinal não eram senão a mesma
entoada com mais delicadeza;
gargantas outras
desenhando sem pincéis
a linguagem da natureza.

Já não sou Ela.

O sorriso, a euforia
se perderam no vagar do caminho
de quem deixa de ser quem não era.
São dias tristes de insónia e névoa,
moscas sem asas e areia rosada.

Os mitos reacendem a esperança:
em algum lugar
haverá ainda quem
navegue pelos mistérios da vida.

Em algum lugar haverá ainda
calma e verdade.

IV

À VERDADE E À CALMA

Cada vez que, numa busca insaciável pela Verdade, nos dirigimos para o caos, morremos tão deliciosamente que, na hora da nossa Ressurreição, só podemos encarar a vida com uma paz imperturbável.

No fundo somos só
o vento que agita
a ovelha que bale
a madeira que range
a estrela que estala
a onda que rompe
a folha que cala
a chama que arde
a duna que abraça
o beijo que morre
quando a alma se apaga.

O mar e eu falamos atentamente.
É um diálogo ameno, quase imperceptível.
Ele não acredita muito que eu o possa entender,
como se afinal não fôssemos ambos a mesma coisa,
a mesma poção divina derramada
em dois estados diferentes.

Ele, a beleza e a grandiosidade,
eu, a discrição e a coragem.
Como será ser sem saber que se é,
que se está a ser tudo e todo ao mesmo tempo?

Dizem que a chave
está em aceitar este vazio
e não esperar da chuva
mais que o seu afago;
abracemos o nada,
o seu tom funerário,
aceitemo-lo com Amor.

O maior ato de amor
para convosco, minhas filhas,
é não vos trazer a este mundo.

Devolver-vos aos aposentos
do universo
e evitar que as faíscas de magia
se tornem carne
sulcando
-sem gravidade-
os mistérios do firmamento.

Peço perdão
por dar importância
ao meu nome
ao meu corpo
aos meus desejos
aos meus medos
à minha dor
à minha fadiga
como se eu não fosse
a ferida de outros
sangrando sobre
a terra adormecida.

Calvário
quando desejamos,
pois a liberdade
está no espanto de acolher
-sem expectativas-
o que o nosso espírito precisa.

Pequena andorinha:

Hás de assobiar firmemente
para que o mundo saiba
que existes.

Hás de assobiar fixamente
para que saibas
que o mundo existe.

Hás de sobretudo assobiar conscientemente
para saber que o mundo
é o teu existir.

Não importa o objeto de amor – diz a Mãe na selva –,
mas o Amor em si mesmo.

O conteúdo,
e não a forma.

A emoção
e não a recepção
por um sem-rosto
que, em última instância,
sou só eu
no corpo de outrem.

A Ela não lhe importa mais nada
para além da eternidade
deste simples instante
deste sussurro de palmeira
desta morte branda
no coração da selva.

A planta já o disse:
Tudo é Um
e Um é Tudo
e eu sou
porque eu somos
e a única coisa que importa
é o Amor.

Não lhes dês a conhecer
o espírito do tempo
que derrama
sobre as tuas costelas gastas.

O despertar da consciência
é só para aqueles
que transcendem
a matéria da não-matéria.

Não os deixes perverter
a chama dos teus universos
cor de púrpura
dos teus únicos versos
dos teus beijos sem textura.

Guarda noutra frequência
o que de todos é
mas que ninguém reclama.

Para além do êxtase,
a calma permanece.

Agora sei que não sou nada, coração,
só estrada.

O caminho é Um e mil formas toma,
como as luas
deste país que agora nos guarda.

Nunca houve mais sonhos do que na almofada.
Nem vocação,
nem talento.

Não era assim tão lento o passar
do tempo.
Agora tenho o que tanto almejava.

Não é assim tão bom nem tão mau, companheira,
é só como ser
e eu posso fazer com que seja.

Agora que o tenho sem o ter.
Agora que o aceito não há destino.

Que me poderá brindar uma nova manhã?

Agora sei que não sou nada, coração,
mais do que estrada.

Resgata o sagrado que há em ti,
amassa os grãos de cevada,
se nos campos amarelos
não te sucumbir a alegria,
encontraste por fim

a tua morada.

POSFÁCIO

O NECESSÁRIO DESPERTAR

O filósofo italiano Antonio Gramsci (1891-1937) certa feita referiu-se às loucuras cometidas pela humanidade em nome do progresso e pela "certeza do fim último". Certezas hoje já não as temos. O capitalismo vitorioso não proporcionou patamares de vida digna para a maior parcela da humanidade e ao lado de um socialismo decadente e burocrático-autoritário, o que se viu foram pequenos e monumentais desastres. O "progresso" – essa palavra mágica que serviu para justificar as extraordinárias conquistas tecnológicas – acabou dando lugar a novos poderes em ascensão e formas dramáticas de dominação e exclusão; abalou-se as estruturas sociais cristalizadas e varreu-se rotinas e referências estabelecidas. A esse cenário de mudanças econômicas, sociais, políticas, culturais e subjetivas, que trouxe-nos ainda de lambuja a ativação de fundamentalismos (como reação desesperada), demos o nome de "capitalismo tardio", "modernidade avançada" ou "pós-modernidade". Essa nossa encruzilhada atual.

Nos quatro cantos do mundo, a industrialização e a urbanização lançaram grandes contingentes humanos em um ambiente que não preserva costumes, despreza relações pessoalizadas, ignora a preponderância de laços morais e assistimos a toda sorte de transtorno da vida coletiva. Vida globalizada, de comunicação instantânea, forte volatilidade do capital, ações à distância e a proeminência da mídia na constituição do universo simbólico das grandes massas, impondo sempre a produção incessante de mercadorias, a fragmentação das narrativas e o estilhaçamento do sujeito. Um sujeito a quem é permitido colecionar amores fugazes, assumir valores sempre temporários, e enredos vagos de histórias pessoais tornadas desimportantes consistências do "eu", sempre possíveis de serem apagadas. O imaginário, as pulsões da intimidade, as maneiras de ser e os sentimentos foram incorporados ao universo das mercadorias através de narrativas midiáticas.

A antiga "certeza do fim último" de braço dado com a ciência lançou-nos num beco escuro, sem saída, onde nossa mente não tem amanhã. Que nos deram os últimos séculos? Se por um lado, máquinas como jamais o mundo as teve (e que, no entanto, são apenas máquinas), por outro lado, ressecou nossas almas. É o furacão destruidor de toda a fé a nos impor, com a máscara do ceticismo, um rosto sem alma. O fato palpável e incontestável é que aumentou explosivamente o grau do perigo vivenciado na vida coletiva pela capacidade de destruição resultante da aplicação do saber e da ciência. Na guerra e na paz, nas bombas nucleares ou no aquecimento da Terra, não há instituição, agência ou Estado-nação capaz de reverter tais perigos. Em vez da emergência da modernidade levar a uma ordem social mais feliz e mais segura, a sociedade da descoberta e da invenção permanentes é um mundo caótico, carregado e perigoso. Estamos à deriva e, para piorar, em meio a uma pandemia devastadora.

Esse trânsito desmemoriado num eterno presente vai comportando identidades que não se completam, numa dinâmica de desmantelamento e repetição que jamais alcança um ponto fixo e assombra a humanidade, pela incerteza permanente e irredutível. Aquilo que Zygmunt Bauman (1925-1937) identificou como uma sensação de insegurança, universalmente partilhada e esmagadora e que parece ser a única vencedora. Perceptível fica o grito sufocado de nossas almas que anseiam por evoluir, e o resultado é esse incontido ruído que cresce, esse estrépito difícil de conter, ameaçadoramente estrondoso, um redemoinho que não cessa nas consciências, num barulho similar a coisas velhas que se quebram. Eis o fragor atual...

Sabemos que em literatura a poesia ocupa posição de destaque por conseguir expressar e comunicar a emoção pelo verbo musical. Expressão natural e por excelência dos mais incisivos modos de emoção pessoal. "Fragor" é o título dessa reunião de poemas da escritora espanhola Laura Carrillo Palacios que se publica pela editora brasileira Laranja Original em edição bilíngue e com tradução para o português da escritora Sandra Santos. Muito além de simplória reunião de poemas, há na obra uma arquitetura de emoções e impressões que deixam o leitor entrever um plano de exposição pensado com muito cuidado em cada um dos quatro pequenos capítulos que a compõe. Cada um deles se abre com breves textos em prosa. Verdadeiros apelos à razão feitos com absoluta economia, de tal modo que o movimento é ágil e vai certeiro à conclusão, oferecendo ao leitor um prazer estético para além de sua força persuasiva. Cada um, em separado, recebe um título que, unidos em um único verso, nos dizem: I – "Antes da tempestade" / II – "O Ruído" / III – "Mas este fragor nos levará", IV – "À verdade e à calma". Textos em prosa poética como este: "É quando a maré da vida nos faz balançar, na sua dança incerta, que as melhores coisas nos começam a acontecer. No entanto, se a dor não atingir o tutano, a roda de samsara recomeça, até que a tempestade arrase tudo."

As metáforas poéticas que a autora lança mão conseguem alcançar um sentido de polivalência que fala ao mesmo tempo à inteligência e à sensibilidade. Positivamente seus versos empreendem aqui e ali a imersão do leitor em verdades estonteantes que ferem com a instantaneidade de um relâmpago e nos deixam ver o seu rico e pulsante mundo interior: "O baile de máscaras acabou, mas ainda nos negamos a aceitar e a revelar a nossa verdadeira identidade." Ou ainda "A minha alma é um diálogo entre as estrelas e o meu umbigo."

O lirismo da autora procura escapar da autossondagem miúda e epidérmica e se abre, se expande às fronteiras insuspeitadas, a fim de abarcar o mundo exterior. Parte do seu mundo interior, microcósmico, para o universal, o macrocósmico. Nesse esforço, parece mesmo haver o uso sincronizado de sentimento e conhecimento, pois intervêm concomitantemente a emoção, como categoria poética fundamental, e a inteligência, como faculdade necessária ao processo de conhecimento. Não há como deixar de lembrar do poeta Fernando Pessoa: "o que em mim sente está pensando". O que significa que pensar envolve sentir e vice-versa:

"Tenhamos coragem, disseste um dia. / Agora, uma matilha de enredos / me morde / enquanto cava a minha sepultura."

Daquilo que boa parte da humanidade não toma consciência clara, ou toma sem conseguir comunicar, a autora faz sua arte. Os versos seguem perscrutando as profundezas abissais da alma. Esse dilacerante grito em todas as direções, o "fragor" de um mundo interior maior que as medidas do limitado organismo humano, tensão enervada, vibração de forças. Tudo enfim a retratar um sentir humano universal na hora presente. Saber da história de vida da autora pode fazer-nos compreender uma tal postura. É psicóloga especializada em gênero e migração. Morou na Bélgica, Bulgária e Mauritânia, onde combinou a psicologia com cooperação internacional. Conviveu e por certo observou e muito sofreu ante tantas e tão variadas circunstâncias existenciais adversas, que se refletem em seus poemas como "Há já algum tempo que só vejo pó" dedicado à Mauritânia, país do noroeste da África, no qual boa parte de suas mulheres sofreram e ainda sofrem violências brutais como a mutilação genital. Toda essa vivência acabou por ensejar na autora a concepção "del amor que trasciende las relaciones humanas y acaba dando sentido a la existencia." Vários outros poemas poderiam ser citados, mas dois, particularmente, transmitem o sentido da existencialidade que a autora carrega. "Sempre que os bosques choram com medo" e "Pequena andorinha" são exemplos antológicos.

O momento é crítico, mas é impositivo avançar. A leitura dos poemas de Laura Carrillo sugestiona em nós a urgência de despertar, educar, desenvolver a faculdade mais profunda do homem: a intuição que nos ensina a sentir a unidade da vida que irmana todos os seres, desde o mineral até o homem, em trocas de interdependências, numa lei comum; sentir esse liame de amor com todas as outras formas da vida, porque tudo, desde o mais simples fenômeno químico até o social, é regido por um princípio espiritual. Isto sim é evolução. Não no limitado conceito materialista de evolução de formas orgânicas, mas no vastíssimo conceito da evolução de formas espirituais, da ascensão das almas. Independente do continente em que nascemos, do país que vivamos, da língua que falemos, se espanhol:

"El despertar de la conciencia / es solo para unos pocos / que transcienden / la materia de la no-materia."

Ou, em claro e bom português:

"*O despertar da consciência / é só para aqueles / que transcendem / a matéria da não-matéria.*

É preciso urgentemente transcender. Talvez aí resida exatamente a nova orientação que a personalidade humana deve alcançar, para poder avançar. Avançar significa deixar de lado, para uso da vida prática, nossa psique exterior e de superfície, a razão, pois só com a psique interior que está na profundeza de nosso ser poderemos compreender a realidade mais verdadeira, que se encontra na profundeza das coisas. Nosso "Eu" exterior pode e deve aprofundar-se para a consciência latente que tende a vir à tona, a revelar-se. Precisamos habituar aos poucos o pensamento a seguir esta nova ordem de ideias. Se soubermos transferir o centro de nossa personalidade para essas camadas profundas de nós mesmos, sentiremos, por certo, revelarem-se novos sentidos, novas percepções, e uma atilada faculdade de visão direta; esta é a intuição da qual precisamos para progredir. O livro que o leitor tem em mãos constitui verdadeiro lampejo de luz que nos ajuda a fazer de nós seres melhores para nós mesmos, para nossas famílias, para nossas pátrias, para o planeta.

Krishnamurti Góes dos Anjos
Escritor e crítico literário
Salvador, Bahia, Brasil, inverno de 2021

ÍNDICE

I
ANTES DA TEMPESTADE

Como ofertar a textura do mar	11
Lembro-me do cheiro a metal	14
Serei noite	15
O fogo do Sahel	16
Em que sonho se afundou	17
Sopro curador de Gaia	18
É de madrugada	19
Não é de arame a cerca	20
Quis ser Um com o Todo	21

II
O RUÍDO

Nunca compreendi	24
Talvez esta dor	25
Vai chegar o dia	26
É nesse teu desejo egoísta	27
Sempre que os bosques	28
São do Ocidente	30
Sei da chuva	31
A minha casa	32
Empurra-me	33

III
MAS ESTE FRAGOR NOS LEVARÁ

Se a Sombra me perseguir	36
Sei que aí estás	37
Há já algum tempo	38
Dizem os antipoetas	39
Amor	40
Negra a cor	41
Quero chorar em ti	42
Em silêncio	43
Já não sou Ela	44

IV
À VERDADE E À CALMA

No fundo somos só	47
O mar e eu	48
Dizem que a chave	49
O maior ato de amor	50
Peço perdão	51
Calvário	52
Pequena andorinha	53
Não importa	54
A Ela	55
Não lhes dês a conhecer	56
Agora sei	57
Resgata	58

Posfácio
O necessário despertar   59

III
PERO ESTE FRAGOR NOS LLEVARÁ

Si la Sombra me persigue	36
Sé que estás ahí	37
Solo veo polvo	38
Dicen los anti poetas	39
Amor	40
Negro el color	41
Llorar en ti	42
En silencio	43
Ya no soy Ella	44

IV
A LA VERDAD Y A LA CALMA

Solo somos	47
El mar y ÿo	48
Dicen que la clave	49
El mayor acto de amor	50
Pido perdón	51
Calvario	52
Pequeña golondrina	53
La Madre en la selva	54
No le importa casi nada	55
No les dejes conocer	56
Ahora sé que no soy nada, corazón	57
La luna de tu vientre	58

Posfacio
El necesario despertar   59

ÍNDICE

I
ANTES DE LA TEMPESTAD

Cómo regalar la textura del mar	11
Recuerdo el olor a metal	14
Seré noche	15
El fuego del Sahel	16
En qué sueño se hundió	17
Aliento sanador de Gaia	18
Es madrugada	19
No lleva concertinas la valla	20
Quise ser Uno con el Todo	21

II
EL RUIDO

Nunca he comprendido	24
Quizás este dolor	25
Llegará un día en que el planeta	26
Se trata	27
Cuando los bosques lloran miedo	28
Son de Occidente	30
Sé de la lluvia	31
Un diminuto pasillo	32
Empújame	33

sotros seres mejores para nosotros mismos, para nuestras familias, para nuestras patrias, para el planeta.

Krishnamurti Góes dos Anjos
Escritor y crítico literario
Salvador, Bahia, Brasil, invierno de 2021

vida, porque todo, desde el más simple fenómeno químico hasta el social, es regido por un principio espiritual. Esto sí es evolución. No en el limitado concepto materialista de la evolución de las formas orgánicas, sino en el vastísimo concepto de la evolución de las formas espirituales, del ascenso de las almas. Independientemente del continente en el que nazcamos, del país en el que vivamos, de la lengua que hablemos. Si en español:

"El despertar de la conciencia / es solo para unos pocos / que transcienden / la materia de la no-materia."

O, por qué no, en portugués:

"*O despertar da consciência / é só para aqueles / que transcendem / a matéria da não-matéria.*

Precisamos urgentemente de trascender. Tal vez ahí resida exactamente la nueva orientación que la personalidad humana debe alcanzar para poder avanzar. Avanzar significa dejar de lado, para uso de la vida práctica, nuestra psique exterior y superficial, la razón, ya que solo con la psique interior que está en las entrañas de nuestro ser, podremos comprender la realidad más verdadera que se encentra en las profundidades de las cosas. Nuestro "Yo" exterior puede y debe profundizarse para ayudar a la consciencia latente a vivir en la luz, a revelarse. Precisamos habituar poco a poco el pensamiento para seguir esta nueva orden de ideas. Si sabemos transferir el centro de nuestra personalidad hacia esas capas profundas de nosotros mismos, sentiremos cómo se desvelan nuevos sentidos, nuevas percepciones y una astuta facultad de visión directa: ésta es la intuición que necesitamos para progresar. El libro que el lector tiene entre las manos constituye un verdadero relámpago de luz que nos ayuda a hacer de no-

consciencia clara, o la toma sin conseguir comunicar, la autora hace su arte. Los versos siguen escrutando las profundidades abisales del alma. Ese dilacerante grito en todas las direcciones, el "fragor" de un mundo interior mayor que las medidas del limitado organismo humano, tensión nervada, vibración de fuerzas. Todo ello para retratar un sentir humano universal en la hora presente. Saber de la historia de vida de la autora puede hacernos comprender tal postura. Es psicóloga especializada en género y migraciones. Vivió en Bélgica, Bulgaria y Mauritania, donde combinó la psicología con la cooperación internacional. Convivió y observó el sufrimiento de las variadas circunstancias existenciales adversas, que se reflejan en sus poemas como "Hace tiempo que solo veo polvo" dedicado a Mauritania, país del noroeste de África, en el que buena parte de sus mujeres sufren violencias brutales como la mutilación genital. Toda esa vivencia acabó por aportar a la autora la concepción *"del amor que trasciende las relaciones humanas y acaba dando sentido a la existencia."* Varios poemas podrían ser citados, pero dos, particularmente, transmiten el sentido del existencialismo que la autora carga. "Cuando los bosques lloran miedo" y "Pequeña golondrina" son ejemplos antológicos.

El momento es crítico, pero es impositivo avanzar. La lectura de los poemas de Laura Carrillo sugiere en nosotros la urgencia de despertar, educar, desenvolver la facultad más profunda del ser humano: la intuición que nos enseña a sentir la unidad de la vida que hermana a todos los seres, desde el mineral hasta el humano. Lo hace en intercambios de interdependencias, en una ley común: sentir ese lazo de amor con todas las otras formas de la

llevará", 4 - "A la verdad y a la calma". Textos en prosa poética como éste: "Es cuando la marea de la vida nos balancea con su danza incierta que las mejores cosas comienzan a suceder. Sin embargo, si el dolor no alcanza el tuétano, la rueda del sufrimiento vuelve a comenzar, hasta que la tormenta todo lo arrase".

Las metáforas poéticas de la autora consiguen alcanzar un sentido de polivalencia que habla al mismo tiempo a la inteligencia y a la sensibilidad. Positivamente sus versos emprenden aquí y allá la inmersión del lector en verdades deslumbrantes que hieren con la instantaneidad de un relámpago y que nos dejan ver su rico y palpitante mundo interior: "El baile de máscaras ha acabado, pero nos resistimos a aceptarlo y a revelar nuestra verdadera identidad". O bien: "Mi alma es un diálogo entre las estrellas y mi ombligo".

El lirismo de la autora procura escapar del autoanálisis minucioso y epidérmico y se abre, se expande a fronteras insospechadas, con el fin de sobrepasar el mundo exterior. Parte de su mundo interior, micro cósmico, se expande hacia lo universal, macro cósmico. En ese esfuerzo, parece incluso existir el uso sincronizado de sentimiento y conocimiento, pues interviene simultáneamente la emoción, como categoría poética fundamental, y la inteligencia, como facultad necesaria para el proceso de conocimiento. No hay nada como rememorar al poeta Fernando Pessoa: "lo que en mí siente está pensando", lo que significa que pensar envuelve el sentir y viceversa:

"Seamos valientes, dijiste un día. / Ahora, una jauría de laberintos / va mordiéndome / mientras cava mi tumba."

De aquello que buena parte de la humanidad no toma

dinámica de desmantelamiento y repetición que jamás alcanza un punto fijo y que asombra a la humanidad por la incertidumbre permanente e irreductible. Aquello que Zigmunt Bauman (1925-1937) identificó como una sensación de inseguridad, universalmente compartida, abrumadora y que parece ser la única vencedora. Perceptible permanece el grito sofocado de nuestras almas que ansían evolucionar y el resultado es el ruido incontenible que crece, ese estrépito difícil de contener, amenazadoramente estruendoso, un torbellino que no cesa en las consciencias, en un barullo similar a las cosas viejas que se rompen. He aquí el fragor actual...

Sabemos que en literatura la poesía destaca por lograr expresar y comunicar la emoción por el verbo musical. Expresión natural por excelencia de los más incisivos modos de afección personal. "Fragor" es el título de esa reunión de poemas de la escritora española Laura Carrillo Palacios que se publica por la editorial brasileña Laranja Original en edición bilingüe y con traducción al portugués de la escritora Sandra Santos. Mucho más allá de una simple reunión de poemas, hay una obra, una arquitectura de emociones e impresiones que dejan al lector entrever un plano de exposición pensado con mucho cuidado en cada uno de los cuatro pequeños capítulos que la compone. Cada uno de ellos se abre con breves textos en prosa. Verdaderos llamamientos a la razón hechos con absoluta economía, de tal modo que el movimiento es ágil y va directo a la conclusión, ofreciendo al lector un placer estético más allá de la fuerza persuasiva. Cada uno, en separado, recibe un título que al unirse forma un único verso: I – "Antes de la tempestad" / II – "El Ruido" / III – "Más este fragor nos

la constitución del universo simbólico de las grandes masas, imponiendo siempre la producción incesante de mercancías, la fragmentación de las narrativas y la quiebra del sujeto. Un sujeto a quien le es permitido coleccionar amores fugaces, asumir valores siempre temporales y enredos vagos de historias personales tornadas insignificantes consistencias del "yo", siempre susceptibles de ser apagadas. El imaginario, las pulsiones de la intimidad, las maneras de ser y los sentimientos fueron incorporados al universo de las mercancías a través de narrativas mediáticas.

La antigua "certeza del fin último", de la mano de la ciencia, nos lanzó a un callejón oscuro, sin salida, donde nuestra mente no tiene mañana. ¿Qué nos dieron los últimos siglos? Por un lado, máquinas como nadie jamás en el mundo las tuvo (y que, no obstante, son solo maquinas). Por otro lado, resecó nuestras almas. Es el huracán destructor de toda la fe que nos impone, con la máscara del escepticismo, un rostro sin alma. El hecho palpable e indiscutible es que aumentó explosivamente el nivel del peligro vivenciado en la vida colectiva por la capacidad de destrucción resultante de la aplicación del saber y de la ciencia. En la guerra y en la paz, en las bombas nucleares o en el calentamiento de la Tierra, no hay institución, agencia o Estado-nación capaz de revertir tales peligros. En lugar de la emergencia de la modernidad conducirnos a un orden social más feliz y más seguro, la sociedad de los descubrimientos y de las invenciones permanentes es un mundo caótico, tenso y peligroso. Estamos a la deriva y, para empeorar, en medio de una pandemia devastadora.

Este tránsito desmemoriado en un eterno presente va comportando identidades que no se completan, en una

POSFACIO

EL NECESARIO DESPERTAR

El filósofo italiano Antonio Gramsci (1891-1937) refirió que las locuras cometidas por la humanidad lo fueron en nombre del progreso y por la "certeza del fin último". Certezas que hoy ya no tenemos. El capitalismo victorioso no proporcionó niveles de vida digna para la mayor parte de la humanidad y al lado de un socialismo decadente y burocrático-autoritario, lo que se vio fueron pequeños y monumentales desastres. El "progreso" – esa palabra mágica que sirvió para justificar las extraordinarias conquistas tecnológicas – acabó dando lugar a nuevos poderes y formas dramáticas de dominación y exclusión; debilitó las estructuras sociales cristalizadas y borró las rutinas y referencias establecidas. A ese escenario de cambios económicos, sociales, políticos, culturales y subjetivos, que nos trajo ciertas gratificaciones y que impulsó la activación de fundamentalismos (como reacción desesperada), le dimos el nombre de "capitalismo tardío", "modernidad avanzada" o "postmodernidad". Esta es nuestra encrucijada actual.

En todas las partes del mundo, la industrialización y la urbanización lanzaron grandes contingentes humanos en un ambiente que no preserva las costumbres, desprecia las relaciones personalizadas, ignora la preponderancia de lazos morales y nos obliga a asistir a todo tipo de trastornos de la vida colectiva. Vida globalizada, de comunicación instantánea, fuerte volatilidad del capital, acciones a distancia y prominencia de los medios de comunicación masiva en

Recoge la luna de tu vientre,
amasa los granos de cebada,
si en los campos amarillos
no sucumbe tu alegría,
has encontrado al fin

tu casa.

Ahora sé que no soy nada, corazón,
solo camino.

El camino es Uno y mil formas toma,
como las lunas
de este país que ahora nos guarda.

Nunca hubo más sueños que la almohada.
Nunca vocación,
ni hubo talento.

Tan lento no era el transcurrir
de la rutina.
Ahora tengo lo que tanto desear osaba.

Ni es tan bueno ni es tan malo, compañera
solo es como ser
yo puedo hacer que sea.

Ahora que lo tengo sin tenerlo.
Ahora que acepto no hay destino.
¿Qué me puede deparar otra mañana?
Ahora sé que no soy nada corazón,
más que camino.

No les dejes conocer
el espíritu del tiempo
que se derrama
sobre tus costillas desgastadas.

El despertar de la conciencia
es solo para unos pocos
que transcienden
la materia de la no-materia.

No dejes que perviertan
la fogata de tus universos
púrpuras,
de tus únicos versos,
de tus besos sin textura.

Guarda en otra frecuencia
lo que de todos es
pero nadie reclama.

Más allá del éxtasis,
queda la calma.

A Ella no le importa casi nada
más allá de la eternidad
de este momento simple,
de este susurro de palmera gris,
de esta muerte templada
en el corazón de la selva.

Ya lo dijo la planta,
que Todo es Uno
y Uno es Todo
y yo soy
porque yo somos
y lo único que importa
es el Amor.

No importa el objeto de amor – dice la Madre en la selva –,
sino el Amor en sí mismo.

El contenido,
no la forma.

La emoción,
y no la recepción
por un sin-rostro
que, en última instancia,
es solo mi yo
en el cuerpo del otro.

Pequeña golondrina:

Has de latir muy fuerte
para que el mundo sepa
que existes.

Has de latir muy atenta
para que sepas
que el mundo existe.

Sobre todo, has de latir muy consciente
para saber que tu existir
es el mundo.

Calvario
si deseamos,
pues la libertad
es la sorpresa de recibir
– sin expectativas –
lo que nuestro espíritu necesita.

Pido perdón
por dar importancia
a mi nombre
a mi cuerpo
a mis deseos
a mis miedos
a mi dolor
a mi fatiga
como si yo no fuera
la herida de otros
sangrando sobre
la tierra dormida.

El mayor acto de amor
hacia vosotras, hijas mías,
es no traeros a este mundo.

Devolveros a los aposentos
del universo
y evitar que se hagan carne
las chispas de magia
en que surcáis
-sin gravedad-
los misterios del firmamento.

Dicen que la clave
está en aceptar este vacío
y no esperar más de la lluvia
que su húmeda caricia;
al abrazo de la nada
con su canción fúnebre,
recibámoslo con Amor.

El mar y yo hablamos detenidamente.
Es un diálogo suave, casi imperceptible.
Él no se fía mucho de que yo pueda entenderle,
como si acaso no fuéramos la misma cosa,
el mismo brebaje divino derramado
en dos estados dispares.

Él la belleza y la grandiosidad,
yo la discreción y la valentía.
¿Cómo será ser sin saber que se es,
que se está siendo todo y uno a la vez?

En el fondo solo somos
el viento que agita
la oveja que bala
la madera que cruje
la estrella que estalla
la ola que rompe
la hoja que calla
la llama que arde
la duna que abraza
el beso que muere
cuando el alma se apaga.

Cada vez que al caos nos conducimos en la insaciable búsqueda de la Verdad, morimos tan deliciosamente que en nuestra Resurrección sólo podemos encarar la vida con una paz imperturbable.

IV

A LA VERDAD Y A LA CALMA

Ya no soy Ella.

La sonrisa, la euforia
se perdieron por el camino lento
de quien deja de ser quien no era.
Son días tristes de bruma e insomnio,
moscas sin alas y arena roja.

Los mitos encienden la esperanza:
en algún lugar aún hay quien
surca los misterios de la vida.

En algún lugar todavía hay
verdad y calma.

En silencio
palpé la textura del canto de las aves,
el beso de las flores,
el sol de marzo;
en silencio
marchité por menguar su belleza
al soñar con otras tierras
que no eran sino la misma
entonada con más delicadeza;
gargantas diferentes
dibujando sin pinceles
el lenguaje de la naturaleza.

Quiero llorar en ti – murmuras.
Los ojos tristes, la boca arrugada,
el cuerpo encogido como una sombra manchada.

¡Hagamos entonces un río! – exclamo.
Dos almas a la deriva de un inagotable charco.
Tememos morir asfixiados,
hasta que una sabia revelación
acude hasta nuestros labios.

"Los perdidos, los enfermos
se ahogan en las mismas aguas
en las que, con gracilidad,
los místicos, simplemente, nadan".

Negro el color
de la esperanza,
etérea música atestiguando
la canción del Universo.

Negra la retirada
del egoísmo danzante
por una lluvia templada
que cala nuestros huesos de hojarasca.

La angustia constriñe mis costillas,
apenas bailamos porque soy solo
dolor,
pero tú no te irás nunca:
has esperado demasiado
hasta rozar un corazón
que no tenga miedo
de mostrarse.

Amor,
el universo nos observa aletargado,
quizás, dice, mañana seremos nube,
o al menos un pedazo de viento
para despedir esta carne translúcida
y ascender de la tierra al cielo.

Estoy ebria de soledad,
las mejillas coloradas de placer,
no se extraña lo que nunca se tuvo
ni lo que nos dio lo mismo que la nada.
Pero se añora el fuego;
esta lámina de hielo desea ya morir
al calor de tus ascuas.

Dicen los anti poetas
que en la vida todo es imaginario
menos el dolor.
Pero en los momentos más sufridos
donde la ira de mi vientre
me obliga a fantasear
con arrancarme los ojos
despedazar mi esqueleto
licuar la carne de mis muslos
atravesar mi ombligo
con una daga fría,
solo siento la pálida ilusión
de la verdad que se oculta
entre la inmundicia.

A fin de cuentas, en la vida todo es imaginario,
menos el Amor.

Hace tiempo que solo veo polvo.
Nada que ver tiene con las partículas tostadas
que envuelven a esta Mauritania somnolienta.

Hace tiempo que solo veo ruido.
No lo escucho, pero lo veo denso y humeante,
como el fragor del espíritu que contra el presente
se revuelve.

Hace tiempo que no veo.
Me pregunto si es ceguera
o la molesta revelación
de los horizontes
en que pronto naceré de nuevo.

Sé que estás ahí,
eres la brisa de Nubia,
el perfume de la acacia;
aunque ya no pueda verte
recuerdo que eres río,
de mi boca naciste un sábado
de septiembre.

Los ojos que conociste
– ahora vacíos –,
talismanes en las manos
del oráculo,
son ante tu alma de roca
una barricada de fango.

Lo sagrado, sagrado es.
De la niebla emergiste,
a mi suave piel con espinas
te doblegas.

Si la Sombra me persigue,
no tengo donde esconderme.
Siempre sabe dónde encontrarme.
No la culpo.

Parece que de la maleza broto luminosa
anunciando:
"tómame, muérdeme, arráncame
la piel hasta recordarme que no soy nada".

Es en la nada donde la verdad chapotea
y como una madre cuenta historias
sobre la unidad, la bondad y el amor.

Solo quien escucha en su frecuencia
puede entender el mensaje.

Y solo a nosotras se nos golpea
cuando ignoramos sus enseñanzas
adentrándonos de nuevo
en los abismos animales.

Una vez odié la vida.
Más tarde, volví a disfrutar
cada suspiro de hierba.

Si volviera a odiar de nuevo,
apenas podría perdonarme
el brutal encantamiento
de diluir la belleza del mundo
en los oscuros laberintos
de mi demencia.

La vorágine nos atrapa y la congoja por todo lo que inútilmente hicimos para lograr el Amor obtura nuestros pulmones. El baile de máscaras ha acabado, pero nos resistimos a aceptarlo y a revelar nuestra verdadera identidad.

El conflicto entre lo que somos y lo que nos permitimos ser desata el fragor que cercará nuestros próximos pasos. De nosotras depende conservar el antifaz o lanzarlo al fuego y danzar libremente en la alegría de la autenticidad.

III

PERO ESTE FRAGOR NOS LLEVARÁ

Empújame, recházame,
arrójame fuera de esta masa
de rostros de piedra
y principios de gelatina.

Un día soñé que alguien me hablaba agua,
que alguien reía tierra,
que alguien lloraba fuego
y en vez de cerveza, viento tragaba.

Sus canciones me arropaban,
partíamos al ras de las nubes
compartiendo el secreto de los pájaros.

Cuando desperté,
tan solo su piel negra bajo la luna,
el cosmos perlado
de la nostalgia.

¿Acaso los colores
de la amistad sincera
bajo este fragor seco
fueron sepultados?

Un diminuto pasillo
era mi casa.
Ojalá la huida
ojalá la muerte
ojalá un hogar
donde no se prohíba
rasgar la corteza.

Volveremos a la oscura aldea;
desde el infierno
se antoja refulgente,
llena de lo que quisimos ser
y nunca fuimos,
llena de nuestra gente
a quien dejamos
como si más allá de la casa-sin-luz
hubiera algo que mereciera
este abandono.

Sé de la lluvia, aunque ya no la oiga
atravesando la noche con su aleteo frío.
Sé de la tormenta lo que el recuerdo aprueba
traer al ahora para no ser tan vacío.

Sé de la piedra lo que me enseñó la abuela
y de las calles y tiendas lo que el olor a pan me entrega.
Sé de los árboles que vivos se mantienen
mientras mis pulmones
del mal de arena mueren.

Añoraré lo salvaje del polvo que se enreda,
los camellos y cabras entre coches y zapatos.
Añoraré la calma de un país dormido
mientras mi corazón se revuelta en un festival
lento pero luminoso.

Añoraré,
mas mi alma brinca ya muy lejos
brinca tarde
en el verdor sano de una tierra viva,
bajo el techo bohemio del hogar
de una artista.

Son de Occidente.

Pasean sus valores
como si la solidaridad fuera solo una palabra.
Los ojos cerrados a las manos
que ellos mismos han encadenado.

Dicen islam
como si el demonio
se les atragantase en las costillas
y un rumor de bazooka
apuñalase sus tristes creencias.

Dicen musulmán
como si una lápida les sellase los labios
cuando la cantinela de Allah
ronronea sus rígidas membranas.

Dicen que protegen a los suyos,
dicen que aman,
pero solo excluyen al que difiere
de lo que ellos consideran libertad.

Son de Occidente.

La oscuridad de las almas de broza
libera a sus víctimas del miedo.

Quien no entiende del amor

nunca comprenderá la vida.

Cuando los bosques lloran miedo,
no nos queda más remedio
que agacharnos y respirar la culpa húmeda
que tiñe de cicatriz sus cortezas.

Cuando el hogar de las ánimas libres
se vuelve refugio de las sin-refugio
y el sol vedado del atardecer
es la guarida de los que arrancan
gritos y sueños,
solo podemos retroceder en nuestra avaricia.

Cuando hemos ensuciado de bruma
la estela verde de los árboles,
inmolado a los cachorros de luz
y abandonado a nuestros iguales a su suerte,
hemos de aceptar nuestra condena.

¿Quién puede dormir tras ver
la lágrima de la tierra
enjugada por los aullidos de sus hijas?

¿Quién continuar sus días
tras anudar la muerte
en las gargantas tibias
de sus extensiones de pelo y pluma?

En la codicia de las comisuras de oro,
se rezan rosarios de arcilla
y testamentos de míseras fortunas.

Se trata de que en tu deseo egoísta
reposan mil cadáveres de cristal
como muebles viejos
sin huesos ni sangre,
solo la piel usada
de una esperanza rota.

Detrás del hueco jugoso
que ambicionas reventar
hay fábulas de dragones,
cesáreas descosidas
o bailes de trigo ciego.

Las ratas que persigues
llevan tu nombre
y, en algún aciago universo
donde el Mundo Justo se impone,
las almas desechas
te hablan con acero en los labios.

¡Huye de ti mismo
antes de que sea demasiado tarde!

Pues la debilidad que sometes
no es otra que la tuya propia.

Y en la semilla de esta tortura
que blandes en la tierra húmeda,
estalla el grito convaleciente
de todas las que te odiamos.

Llegará un día en que el planeta
sea todo carbón quemado,
una planta marchita
en un silencio cavernoso.

Entonces esta ciudad quizás parezca viva;
la ceguera sea esperanza,
la *poussière* alimento
y la tierra yerma
muerda las chamuscadas puntas
de una raza que se seca.

Llegará un día donde las madres (se) abandonen,
los cuerpos sean pequeños escombros de nácar
y los sueños viejas leyendas dormidas.

Entonces estas criaturas de *sable*
quizás sean bendecidas por una
de esas mil lunas
donde se refugian los diablos.

Quizás este dolor
es porque no me permito ser agua
limpia y clara
en su descenso por el vientre de la tierra.

Quizás el atardecer que me cantabas
se deshizo en mis entrañas
y germinaron cuervos
en estos ojos que ya no miran.

Quizás la luna se cansó de esparcir
su luz pétrea y mortecina
por esta tristeza devota
de la que he hecho fiesta y rutina.

Quizás en esta enfermedad azul
zozobro en una verdad punzante
que me arranca del espejismo
de la Ciudad de Fuego.

Nunca he comprendido
por qué dicen que corta es la vida.

Corta la mirada, el alcance, la valentía.
Cortos los sueños, los pasos, los días.
Con intensidad, presencia y alegría
la vida es muy larga,

al menos la mía.

Atrapadas en la rueda de lo ineludible, la paz momentánea que con tanto esfuerzo habíamos adquirido se disuelve dejando paso a un suave rumor de lluvia que poco a poco va aumentando, hasta que acabamos por percibirlo como un ruido que nos acompaña lealmente.

Cuando se vive con tanta intensidad, con tanta pasión, el dolor forma parte del viaje. En ese dolor tan desgarrador de las despedidas, de las traiciones, de las incongruencias, reside una belleza cegadora, poética.

Después de todo, ¿no es acaso la belleza una pequeña muerte...?

EL RUIDO

II

Quise ser Uno con el Todo,
olvidé que aún soy humana,
y que sucumbo a mis pasiones
tanto a ciegas como a rastras.

Antes de la fresca arboleda
y de la dulce magnolia
decidí elegir la alambrada.

Un pensamiento de amor
le hacía sombra al invierno,
mientras mi ego jugaba.
Yo era Venus para algunos,
por otros era solo despreciada.

Para mí yo no existía,
consumida entre las brasas,
solamente el ruido
quedaba.

No lleva concertinas la valla
que separa la quimera de lo estable,
más mis sueños se han rajado
y llueven sangre sobre las grietas
de esta khaima.

Nada me consuela.
Este abismo ya existía
antes de fingir que éramos nada.

Mis decisiones,
al misterio estéril de lo absoluto, calan.
No hay Verdad
si no morimos un poco.

Es madrugada,
un pájaro enamorado ha venido a recitarme.
Es un poema de octubre,
lo sé porque por las noches hablo
el lenguaje de las aves.

Todos morimos cuando la luz se apaga
y el cielo nos devuelve a los espíritus.
Los versos sobre un viejo árbol
penetran en mis sábanas.
Hay cortezas que silban magia
y ocultan orugas de satén.
No puedo partir a tu mundo vegetal, amado mío,
aunque sonámbula me quieres,
mis manos aún se aferran a la vida.

Yo no sé de pájaros, ni tampoco de poemas,
pero es madrugada y hablo
el lenguaje de las aves.

Aliento sanador de Gaia,
en su perfume duerme
la patria de las musas.

En aquel beso comprendí
el misterio de la existencia.
Después de todo,
solo yo soy.

En el último halito
de la tierra en mi boca,
el olvido se instala,
el mundo se dibuja,
la paz se acaba.

¿En qué sueño se hundió
el desierto de oro
y sus vírgenes colores de acuarela?

La arena se tragaba las palabras,
la noche caía;
en mi pecho, una estrella
y en el cielo un millón de corazones
bombeando luz y calma.

¿En qué sueño murió
el dromedario desobediente
dejando paso al rumor ebrio
de un estómago ciego?

Seamos valientes, dijiste un día.
Ahora, una jauría de laberintos
va mordiéndome
mientras cava mi tumba.

Ojalá los recuerdos fueran
menos líquidos
que el agua en que bebían
mis convicciones de papel.

El fuego del Sahel nos sacude,
es hostil la rutina
y delirante el prejuicio,
pero las noches de estrellas
haces que parezca fácil
volar.

¿Quién eres tú que nos abrazas en el llanto?
Madre del azul ocaso,
en este fin de junio
celebramos treinta veces
que el mundo te bendijo
con su abrazo.

Seré noche, dijo.

Bajo la sed pálida del viento olvidó
la música de las palabras
y se encendió como una antorcha en la nieve.
La sangre brotaba a merced del lenguaje,
los pequeños pájaros de Viena
perforaban la asfixia del verano.

Seré calma, dijo.

Sobre las larvas viejas construyó castillos,
mientras descansaba la pereza orgánica
y otros restos del mañana.
La bilis le comía los labios,
la frecuencia de sus huesos excitaba hasta a los espejos.

Seré verdad, dijo.

Olía a pólvora en las calles de nata.
Blanco era el silencio.
Gris el abandono.

Recuerdo el olor a metal.
Era primavera.
El jardín es el hogar de la serpiente,
– me habían advertido –,
pero yo me sentía a salvo.
Desde la ventana los Dioses eran invocados,
lanzaban confeti de cardamomo
sobre las deformes cabezas de colores.
Hoy Dios es solo Uno,
lo veneran cinco veces
de a poquito,
apenas hay bullicio
pero la fiesta es más grande.

Es efímera.

El perfume de la muerte
es un ángel sin horizonte ni consuelo,
con tentáculos de mimbre
y corazón de algodón.

¡Qué maravilla vivir,
sin temor a dejar de hacerlo!

¡Qué lucidez comprender
que la muerte huele a versos!

Y los besos que no damos,
nunca vuelven a avisarnos
de que de no perderlos
aún a tiempo estamos.

e hicieron del sábado un lunes,
del lunes un charco y del agua de los ojos,
alergia.

Pero tengo un secreto y cien amuletos cojos,
dentro de un cascarón que, por huérfano,
es bondadoso.

He entrado en una tumba de mármol,
con la mirada blanca
y el escozor de la lluvia
en mis carnes blandas.

E iré donde dicte la noche, la tormenta, el azar,
donde las fieras tiemblen y las sombras iluminen.

Detrás del chapapote
hay una luz que contradice la pegajosa penumbra.

Tras los vivos, la muerte
y el amor incomprendido, mitificado,
hecho verdad.

He visto detrás de mis ojos
el polvo del valle galáctico,
el yo que ya no juzga,
el dolor trascendido,
el mugido de la ternura.

La fragancia de la vida
es frágil.

¿Cómo regalar la textura del mar
o el fulgor incandescente de las estrellas?

¿Cómo regar de alegría los cuerpos abatidos
por las mismas dolencias que no pudieron conmigo?

¿Cómo gritar al oído de la miseria que somos la resistencia
y que de aquí no nos vamos?

No me arrepiento de nada.

Pues he descifrado las caricias del viento
que susurraban a los álamos secos.

He contemplado a las aves extender
el misterio de sus alas de invierno.

He germinado semillas en forma de canciones y sonrisas,
que otros me entregaron.

Mi alma es un diálogo entre las estrellas y mi ombligo.

En la frontera del infierno me paseo cual prófuga
implorando a la cárcel de la que huye.

Me arrancaron de los campos amarillos,
de los girasoles sin rostro
y del río dulce tras el huerto de paja.

Me moldearon a imagen y semejanza de las urbes grises,
de los egos de jerarcas en jaulas

Silencio y soledad como medicina para el alma.

Soledad en compañía.

Silencio entre la algarabía.

Es cuando la marea de la vida nos balancea con su danza incierta que las mejores cosas comienzan a suceder. Sin embargo, si el dolor no alcanza el tuétano, la rueda del sufrimiento vuelve a comenzar, hasta que la tormenta todo lo arrase.

Debajo de la maleza, la calma absoluta.

I

ANTES DE LA TEMPESTAD

– LOS CIMIENTOS –
. El Otro Rostro del Baile .

Laura en lecho de mercurio circunspecto
trae la inmovilidad impenetrable de la tierra
el sacrificio que el ocaso exige al sol
la convicción plena del horizonte asfixiado

Cristal hablando de siniestras contracorrientes
de la Mujer-Desierto con los Girasoles de Lluvia
de los opuestos que se enjugan en las piedras
& miran los trampolines que la espera asesinó

Invariablemente,
Fernando Naporano

A Él, que el amor encarna.

© 2021
Todos los derechos de esta edición están reservados a la Laranja Original.

www.laranjaoriginal.com.br

Edición Filipe Moreau
Diseño Marcelo Girard
Producción ejecutiva Bruna Lima
Maquetación IMG3

DL: GR 1793-2021

Carrillo Palacios, Laura
Fragor: poesía / Laura Carrillo;
[Traducción Sandra Santos]. – 1. ed. – Madrid/São Paulo:
Editorial Laranja Original, 2021.
Título original: Fragor
ISBN 978-84-19192-07-3
1. Poesía española I. Título.
GR 1793-2021
Índices para catálogo sistemático:
1. Poesía: Literatura española 869.1
Biblioteca - CRB-8/7964

Laranja Original Editora e Produtora Eireli
Rua Capote Valente, 1198
05409-003 São Paulo SP
Tel. 11 3062-3040
contato@laranjaoriginal.com.br

FRAGOR

Laura Carrillo Palacios

Poesía

1ª edición, 2021 / Madrid / São Paulo

LARANJA ● ORIGINAL

FRAGOR